Nuevo

¡Bravo, bravo!

Comienzos Unit Cut-Outs

Consultant:
Arnhilda Badía, Ph.D.
Professor of Modern Language Education

© 2005 Santillana USA Publishing Company, Inc.

All rights reserved. No part of this book may be reproduced or transmitted in any form or by any means, electronic or mechanical, including photocopying, recording or by any information storage and retrieval system, without permission in writing from the Publisher.

Published in the United States of America.

Comienzos Unit Cut-Outs
ISBN: 1-58105-720-2

Santillana USA Publishing Company, Inc.
2023 NW 84th Avenue
Miami, FL 33122

11 10 09 10 11 12 13 14 15
Printed in USA by HCI Press.

Our mission is to make learning and teaching English and Spanish an experience that is motivating, enriching, and effective for both teachers and students. Our goal is to satisfy the diverse needs of our customers. By involving authors, editors, teachers and students, we produce innovative and pedagogically sound materials that make use of the latest technological advances. We help to develop people's creativity. We bring ideas and imagination into education.

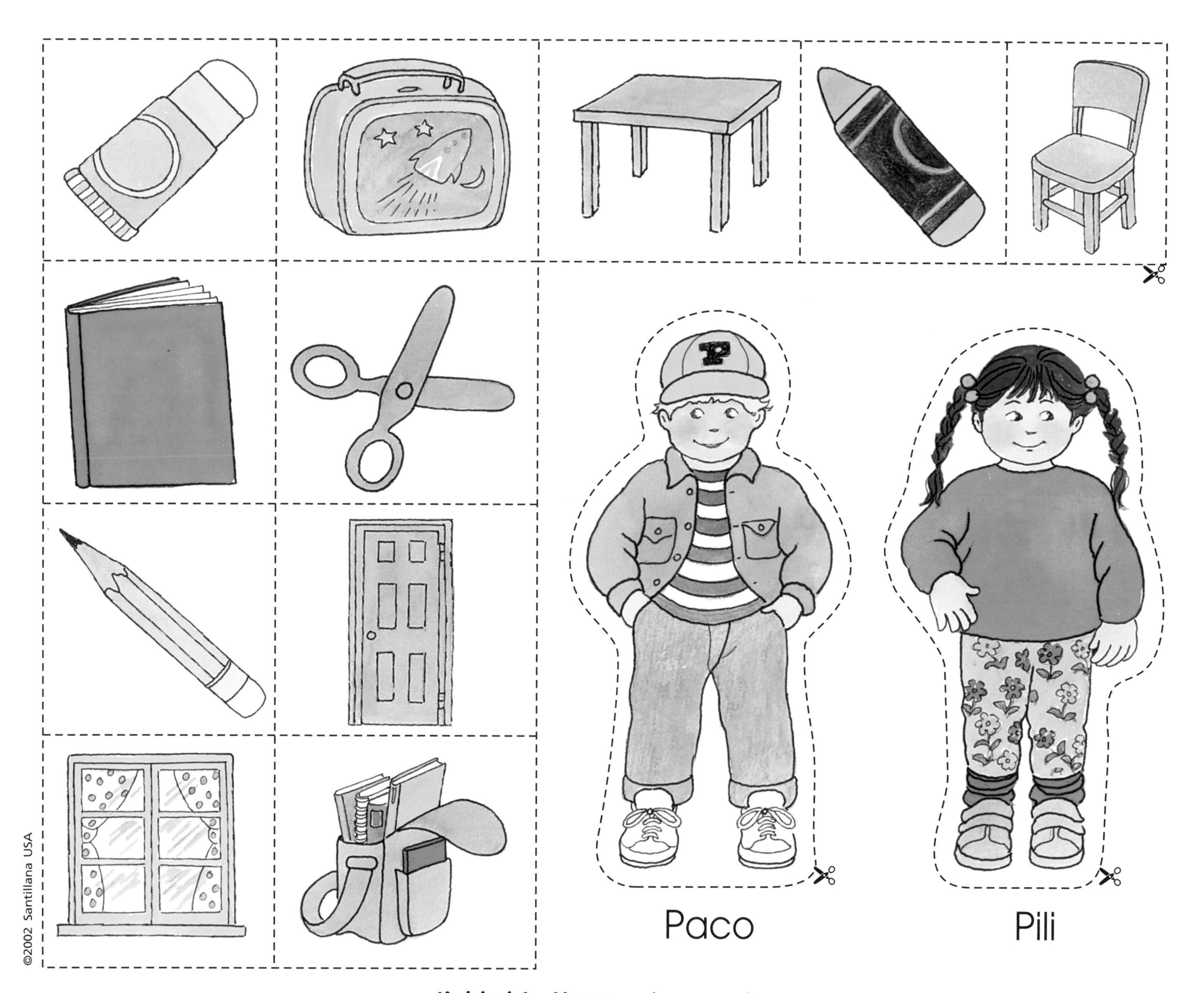

©2002 Santillana USA

Unidad 1 Unidad 1 Unidad 1 Unidad 1 Unidad 1 Unidad 1 Unidad 1 Unidad 1 Unidad 1 Unidad 1
id 1 Unidad 1 Unidad 1 Unidad 1 Unidad 1 Unidad 1 Unidad 1 Unidad 1 Unidad 1 Unidad 1 Unidad
Unidad 1 Unidad 1 Unidad 1 Unidad 1 Unidad 1 Unidad 1 Unidad 1 Unidad 1 Unidad 1 Unidad 1
id 1 Unidad 1 Unidad 1 Unidad 1 Unidad 1 Unidad 1 Unidad 1 Unidad 1 Unidad 1 Unidad 1 Unidad
Unidad 1 Unidad 1 Unidad 1 Unidad 1 Unidad 1 Unidad 1 Unidad 1 Unidad 1 Unidad 1 Unidad 1
id 1 Unidad 1 Unidad 1 Unidad 1 Unidad 1 Unidad 1 Unidad 1 Unidad 1 Unidad 1 Unidad 1 Unidad
Unidad 1 Unidad 1 Unidad 1 Unidad 1 Unidad 1 Unidad 1 Unidad 1 Unidad 1 Unidad 1 Unidad 1
id 1 Unidad 1 Unidad 1 Unidad 1 Unidad 1 Unidad 1 Unidad 1 Unidad 1 Unidad 1 Unidad 1 Unidad
Unidad 1 Unidad 1 Unidad 1 Unidad 1 Unidad 1 Unidad 1 Unidad 1 Unidad 1 Unidad 1 Unidad 1
id 1 Unidad 1 Unidad 1 Unidad 1 Unidad 1 Unidad 1 Unidad 1 Unidad 1 Unidad 1 Unidad 1 Unidad
Unidad 1 Unidad 1 Unidad 1 Unidad 1 Unidad 1 Unidad 1 Unidad 1 Unidad 1 Unidad 1 Unidad 1
id 1 Unidad 1 Unidad 1 Unidad 1 Unidad 1 Unidad 1 Unidad 1 Unidad 1 Unidad 1 Unidad 1 Unidad
Unidad 1 Unidad 1 Unidad 1 Unidad 1 Unidad 1 Unidad 1 Unidad 1 Unidad 1 Unidad 1 Unidad 1
id 1 Unidad 1 Unidad 1 Unidad 1 Unidad 1 Unidad 1 Unidad 1 Unidad 1 Unidad 1 Unidad 1 Unidad
Unidad 1 Unidad 1 Unidad 1 Unidad 1 Unidad 1 Unidad 1 Unidad 1 Unidad 1 Unidad 1 Unidad 1
id 1 Unidad 1 Unidad 1 Unidad 1 Unidad 1 Unidad 1 Unidad 1 Unidad 1 Unidad 1 Unidad 1 Unidad
Unidad 1 Unidad 1 Unidad 1 Unidad 1 Unidad 1 Unidad 1 Unidad 1 Unidad 1 Unidad 1 Unidad 1
id 1 Unidad 1 Unidad 1 Unidad 1 Unidad 1 Unidad 1 Unidad 1 Unidad 1 Unidad 1 Unidad 1 Unidad
Unidad 1 Unidad 1 Unidad 1 Unidad 1 Unidad 1 Unidad 1 Unidad 1 Unidad 1 Unidad 1 Unidad 1
id 1 Unidad 1 Unidad 1 Unidad 1 Unidad 1 Unidad 1 Unidad 1 Unidad 1 Unidad 1 Unidad 1 Unidad
Unidad 1 Unidad 1 Unidad 1 Unidad 1 Unidad 1 Unidad 1 Unidad 1 Unidad 1 Unidad 1 Unidad 1
id 1 Unidad 1 Unidad 1 Unidad 1 Unidad 1 Unidad 1 Unidad 1 Unidad 1 Unidad 1 Unidad 1 Unidad
Unidad 1 Unidad 1 Unidad 1 Unidad 1 Unidad 1 Unidad 1 Unidad 1 Unidad 1 Unidad 1 Unidad 1

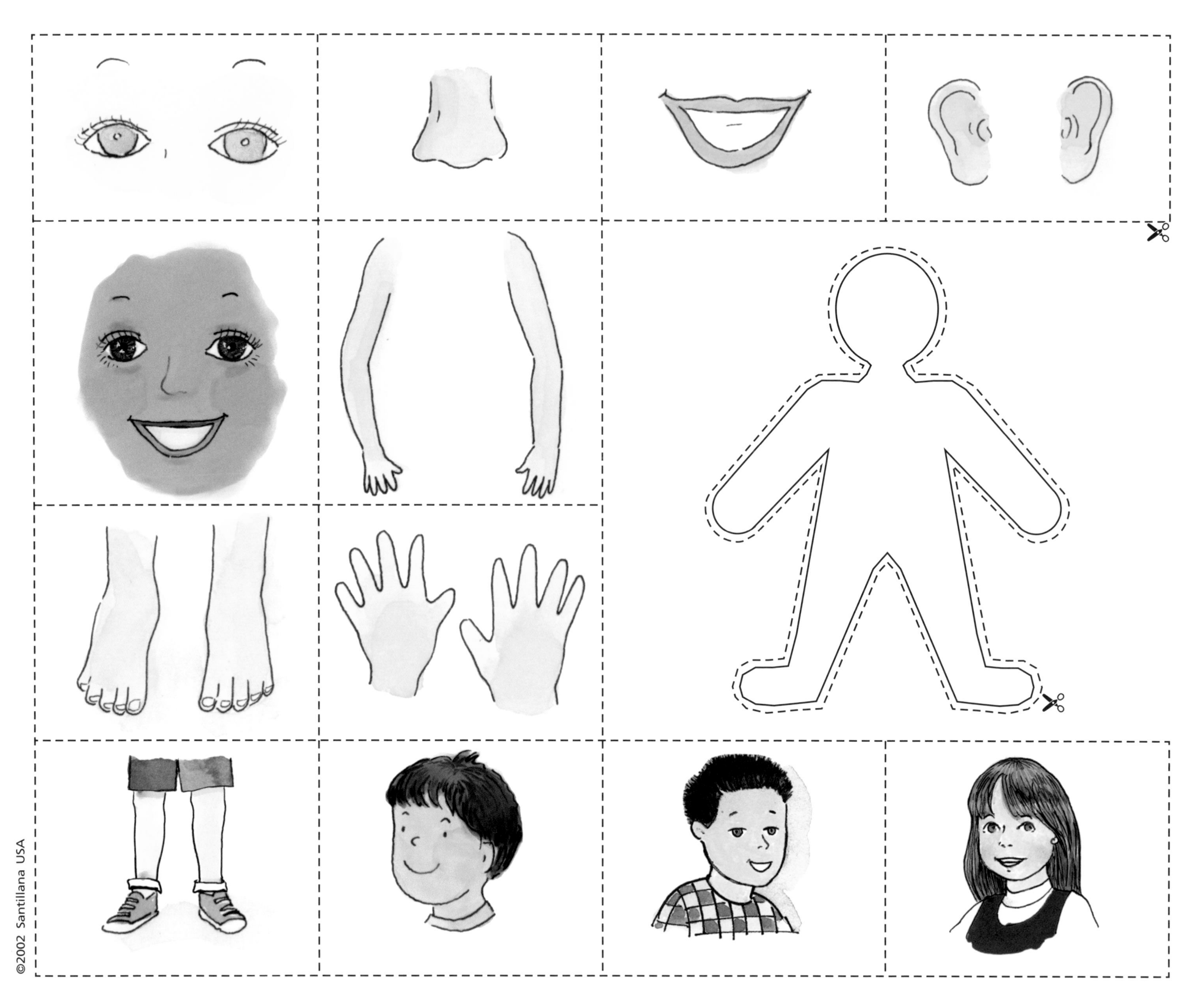

©2002 Santillana USA

2 Unidad 2 Unidad 2 Unidad 2 Unidad 2 Unidad 2 Unidad 2 Unidad 2 Unidad 2 Unidad 2
idad 2 Unidad 2 Unidad 2 Unidad 2 Unidad 2 Unidad 2 Unidad 2 Unidad 2 Unidad 2 Unida
2 Unidad 2 Unidad 2 Unidad 2 Unidad 2 Unidad 2 Unidad 2 Unidad 2 Unidad 2 Unidad 2
idad 2 Unidad 2 Unidad 2 Unidad 2 Unidad 2 Unidad 2 Unidad 2 Unidad 2 Unidad 2 Unida
2 Unidad 2 Unidad 2 Unidad 2 Unidad 2 Unidad 2 Unidad 2 Unidad 2 Unidad 2 Unidad 2
idad 2 Unidad 2 Unidad 2 Unidad 2 Unidad 2 Unidad 2 Unidad 2 Unidad 2 Unidad 2 Unida
2 Unidad 2 Unidad 2 Unidad 2 Unidad 2 Unidad 2 Unidad 2 Unidad 2 Unidad 2 Unidad 2
idad 2 Unidad 2 Unidad 2 Unidad 2 Unidad 2 Unidad 2 Unidad 2 Unidad 2 Unidad 2 Unida
2 Unidad 2 Unidad 2 Unidad 2 Unidad 2 Unidad 2 Unidad 2 Unidad 2 Unidad 2 Unidad 2
idad 2 Unidad 2 Unidad 2 Unidad 2 Unidad 2 Unidad 2 Unidad 2 Unidad 2 Unidad 2 Unida
2 Unidad 2 Unidad 2 Unidad 2 Unidad 2 Unidad 2 Unidad 2 Unidad 2 Unidad 2 Unidad 2
idad 2 Unidad 2 Unidad 2 Unidad 2 Unidad 2 Unidad 2 Unidad 2 Unidad 2 Unidad 2 Unida
2 Unidad 2 Unidad 2 Unidad 2 Unidad 2 Unidad 2 Unidad 2 Unidad 2 Unidad 2 Unidad 2
idad 2 Unidad 2 Unidad 2 Unidad 2 Unidad 2 Unidad 2 Unidad 2 Unidad 2 Unidad 2 Unida
2 Unidad 2 Unidad 2 Unidad 2 Unidad 2 Unidad 2 Unidad 2 Unidad 2 Unidad 2 Unidad 2
idad 2 Unidad 2 Unidad 2 Unidad 2 Unidad 2 Unidad 2 Unidad 2 Unidad 2 Unidad 2 Unida
2 Unidad 2 Unidad 2 Unidad 2 Unidad 2 Unidad 2 Unidad 2 Unidad 2 Unidad 2 Unidad 2
idad 2 Unidad 2 Unidad 2 Unidad 2 Unidad 2 Unidad 2 Unidad 2 Unidad 2 Unidad 2 Unida
2 Unidad 2 Unidad 2 Unidad 2 Unidad 2 Unidad 2 Unidad 2 Unidad 2 Unidad 2 Unidad 2
idad 2 Unidad 2 Unidad 2 Unidad 2 Unidad 2 Unidad 2 Unidad 2 Unidad 2 Unidad 2 Unida
2 Unidad 2 Unidad 2 Unidad 2 Unidad 2 Unidad 2 Unidad 2 Unidad 2 Unidad 2 Unidad 2
idad 2 Unidad 2 Unidad 2 Unidad 2 Unidad 2 Unidad 2 Unidad 2 Unidad 2 Unidad 2 Unida
2 Unidad 2 Unidad 2 Unidad 2 Unidad 2 Unidad 2 Unidad 2 Unidad 2 Unidad 2 Unidad 2
idad 2 Unidad 2 Unidad 2 Unidad 2 Unidad 2 Unidad 2 Unidad 2 Unidad 2 Unidad 2 Unida
2 Unidad 2 Unidad 2 Unidad 2 Unidad 2 Unidad 2 Unidad 2 Unidad 2 Unidad 2 Unidad 2
[illegible]

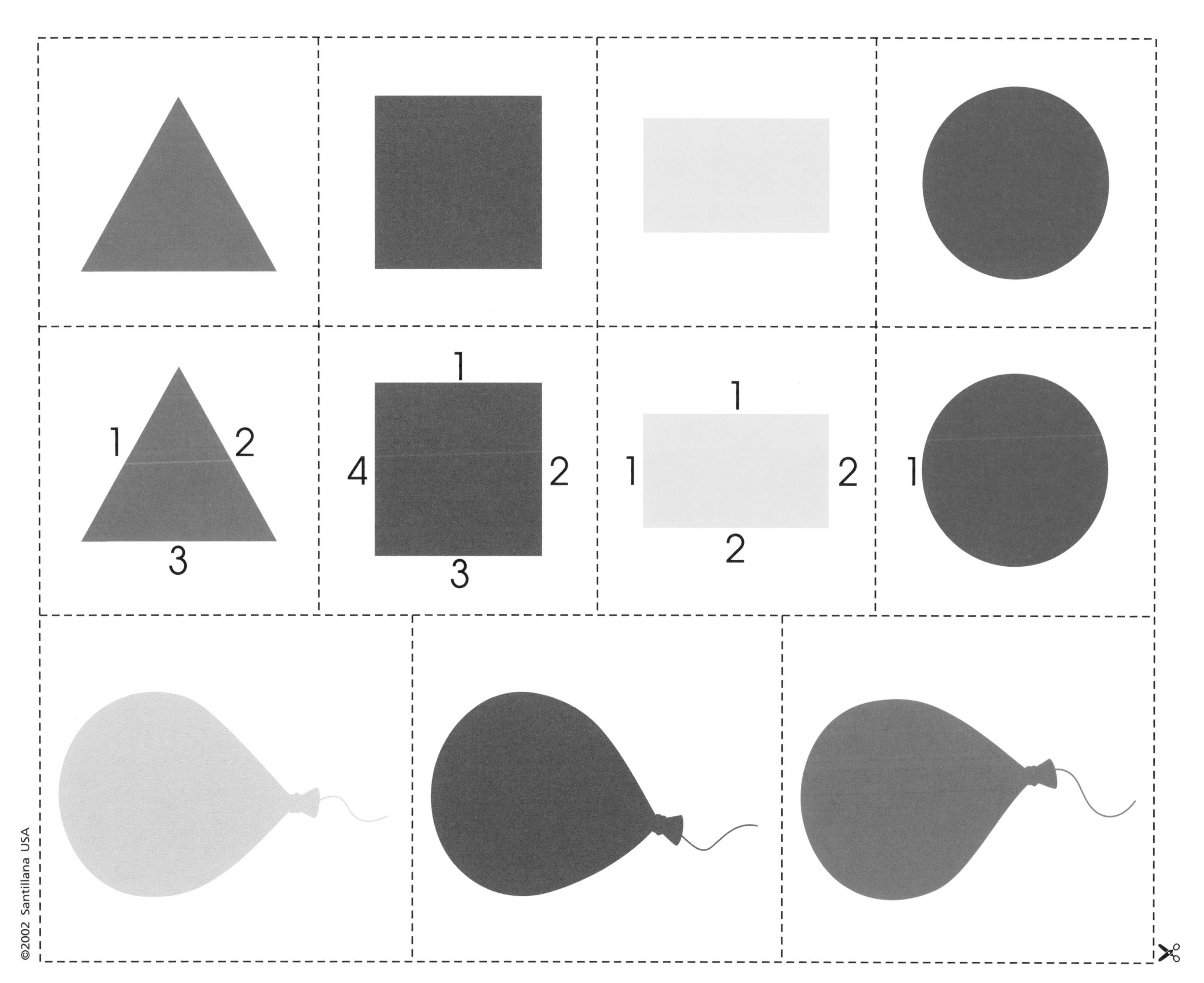

©2002 Santillana USA

Unidad 3

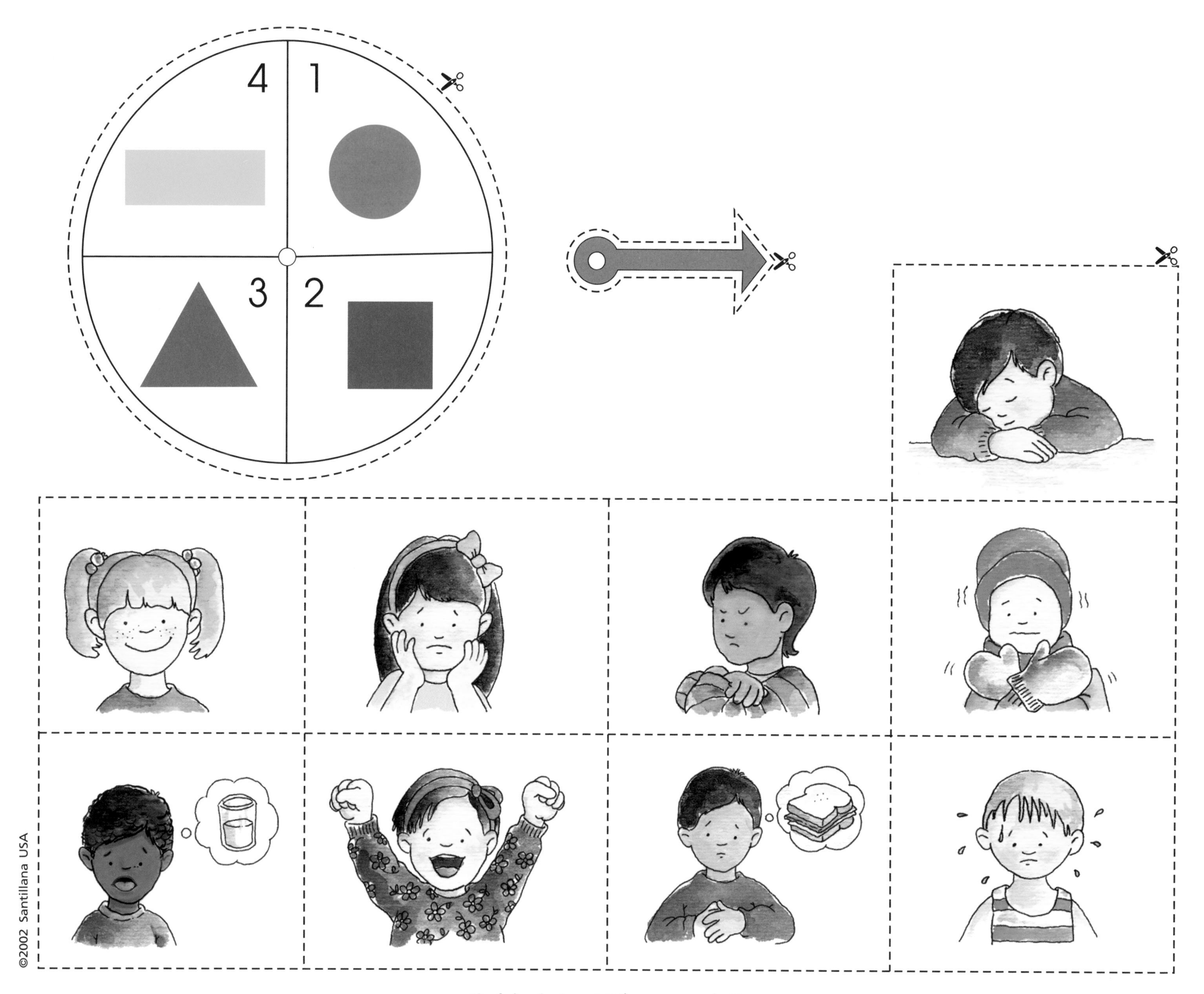

©2002 Santillana USA

4 Unidad 4 Unidad 4 Unidad 4 Unidad 4 Unidad 4 Unidad 4 Unidad 4 Unidad 4 Unidad 4
nidad 4 Unidad 4 Unidad 4 Unidad 4 Unidad 4 Unidad 4 Unidad 4 Unidad 4 Unidad 4 Unid
4 Unidad 4 Unidad 4 Unidad 4 Unidad 4 Unidad 4 Unidad 4 Unidad 4 Unidad 4 Unidad 4
nidad 4 Unidad 4 Unidad 4 Unidad 4 Unidad 4 Unidad 4 Unidad 4 Unidad 4 Unidad 4 Unid
4 Unidad 4 Unidad 4 Unidad 4 Unidad 4 Unidad 4 Unidad 4 Unidad 4 Unidad 4 Unidad 4
nidad 4 Unidad 4 Unidad 4 Unidad 4 Unidad 4 Unidad 4 Unidad 4 Unidad 4 Unidad 4 Unid
4 Unidad 4 Unidad 4 Unidad 4 Unidad 4 Unidad 4 Unidad 4 Unidad 4 Unidad 4 Unidad 4
nidad 4 Unidad 4 Unidad 4 Unidad 4 Unidad 4 Unidad 4 Unidad 4 Unidad 4 Unidad 4 Unid
4 Unidad 4 Unidad 4 Unidad 4 Unidad 4 Unidad 4 Unidad 4 Unidad 4 Unidad 4 Unidad 4
nidad 4 Unidad 4 Unidad 4 Unidad 4 Unidad 4 Unidad 4 Unidad 4 Unidad 4 Unidad 4 Unid
4 Unidad 4 Unidad 4 Unidad 4 Unidad 4 Unidad 4 Unidad 4 Unidad 4 Unidad 4 Unidad 4
nidad 4 Unidad 4 Unidad 4 Unidad 4 Unidad 4 Unidad 4 Unidad 4 Unidad 4 Unidad 4 Unid
4 Unidad 4 Unidad 4 Unidad 4 Unidad 4 Unidad 4 Unidad 4 Unidad 4 Unidad 4 Unidad 4
nidad 4 Unidad 4 Unidad 4 Unidad 4 Unidad 4 Unidad 4 Unidad 4 Unidad 4 Unidad 4 Unid
4 Unidad 4 Unidad 4 Unidad 4 Unidad 4 Unidad 4 Unidad 4 Unidad 4 Unidad 4 Unidad 4
nidad 4 Unidad 4 Unidad 4 Unidad 4 Unidad 4 Unidad 4 Unidad 4 Unidad 4 Unidad 4 Unid
4 Unidad 4 Unidad 4 Unidad 4 Unidad 4 Unidad 4 Unidad 4 Unidad 4 Unidad 4 Unidad 4
nidad 4 Unidad 4 Unidad 4 Unidad 4 Unidad 4 Unidad 4 Unidad 4 Unidad 4 Unidad 4 Unid
4 Unidad 4 Unidad 4 Unidad 4 Unidad 4 Unidad 4 Unidad 4 Unidad 4 Unidad 4 Unidad 4
nidad 4 Unidad 4 Unidad 4 Unidad 4 Unidad 4 Unidad 4 Unidad 4 Unidad 4 Unidad 4 Unid
4 Unidad 4 Unidad 4 Unidad 4 Unidad 4 Unidad 4 Unidad 4 Unidad 4 Unidad 4 Unidad 4
nidad 4 Unidad 4 Unidad 4 Unidad 4 Unidad 4 Unidad 4 Unidad 4 Unidad 4 Unidad 4 Unid
4 Unidad 4 Unidad 4 Unidad 4 Unidad 4 Unidad 4 Unidad 4 Unidad 4 Unidad 4 Unidad 4

©2002 Santillana USA

5 Unidad 5 Unidad 5 Unidad 5 Unidad 5 Unidad 5 Unidad 5 Unidad 5 Unidad 5 Unidad 5
idad 5 Unidad 5 Unidad 5 Unidad 5 Unidad 5 Unidad 5 Unidad 5 Unidad 5 Unidad 5 Unida
5 Unidad 5 Unidad 5 Unidad 5 Unidad 5 Unidad 5 Unidad 5 Unidad 5 Unidad 5 Unidad 5
idad 5 Unidad 5 Unidad 5 Unidad 5 Unidad 5 Unidad 5 Unidad 5 Unidad 5 Unidad 5 Unida
5 Unidad 5 Unidad 5 Unidad 5 Unidad 5 Unidad 5 Unidad 5 Unidad 5 Unidad 5 Unidad 5
idad 5 Unidad 5 Unidad 5 Unidad 5 Unidad 5 Unidad 5 Unidad 5 Unidad 5 Unidad 5 Unida
5 Unidad 5 Unidad 5 Unidad 5 Unidad 5 Unidad 5 Unidad 5 Unidad 5 Unidad 5 Unidad 5
idad 5 Unidad 5 Unidad 5 Unidad 5 Unidad 5 Unidad 5 Unidad 5 Unidad 5 Unidad 5 Unida
5 Unidad 5 Unidad 5 Unidad 5 Unidad 5 Unidad 5 Unidad 5 Unidad 5 Unidad 5 Unidad 5
idad 5 Unidad 5 Unidad 5 Unidad 5 Unidad 5 Unidad 5 Unidad 5 Unidad 5 Unidad 5 Unida
5 Unidad 5 Unidad 5 Unidad 5 Unidad 5 Unidad 5 Unidad 5 Unidad 5 Unidad 5 Unidad 5
idad 5 Unidad 5 Unidad 5 Unidad 5 Unidad 5 Unidad 5 Unidad 5 Unidad 5 Unidad 5 Unida
5 Unidad 5 Unidad 5 Unidad 5 Unidad 5 Unidad 5 Unidad 5 Unidad 5 Unidad 5 Unidad 5
idad 5 Unidad 5 Unidad 5 Unidad 5 Unidad 5 Unidad 5 Unidad 5 Unidad 5 Unidad 5 Unida
5 Unidad 5 Unidad 5 Unidad 5 Unidad 5 Unidad 5 Unidad 5 Unidad 5 Unidad 5 Unidad 5
idad 5 Unidad 5 Unidad 5 Unidad 5 Unidad 5 Unidad 5 Unidad 5 Unidad 5 Unidad 5 Unida
5 Unidad 5 Unidad 5 Unidad 5 Unidad 5 Unidad 5 Unidad 5 Unidad 5 Unidad 5 Unidad 5
idad 5 Unidad 5 Unidad 5 Unidad 5 Unidad 5 Unidad 5 Unidad 5 Unidad 5 Unidad 5 Unida
5 Unidad 5 Unidad 5 Unidad 5 Unidad 5 Unidad 5 Unidad 5 Unidad 5 Unidad 5 Unidad 5
idad 5 Unidad 5 Unidad 5 Unidad 5 Unidad 5 Unidad 5 Unidad 5 Unidad 5 Unidad 5 Unida
5 Unidad 5 Unidad 5 Unidad 5 Unidad 5 Unidad 5 Unidad 5 Unidad 5 Unidad 5 Unidad 5
idad 5 Unidad 5 Unidad 5 Unidad 5 Unidad 5 Unidad 5 Unidad 5 Unidad 5 Unidad 5 Unida
5 Unidad 5 Unidad 5 Unidad 5 Unidad 5 Unidad 5 Unidad 5 Unidad 5 Unidad 5 Unidad 5

©2002 Santillana USA

Unidad 6 Unidad 6 Unidad 6 Unidad 6 Unidad 6 Unidad 6 Unidad 6 Unidad 6 Unidad 6 Unidc
6 Unidad 6 Unidad 6 Unidad 6 Unidad 6 Unidad 6 Unidad 6 Unidad 6 Unidad 6 Unidad 6
Unidad 6 Unidad 6 Unidad 6 Unidad 6 Unidad 6 Unidad 6 Unidad 6 Unidad 6 Unidad 6 Unidc
6 Unidad 6 Unidad 6 Unidad 6 Unidad 6 Unidad 6 Unidad 6 Unidad 6 Unidad 6 Unidad 6
Unidad 6 Unidad 6 Unidad 6 Unidad 6 Unidad 6 Unidad 6 Unidad 6 Unidad 6 Unidad 6 Unidc
6 Unidad 6 Unidad 6 Unidad 6 Unidad 6 Unidad 6 Unidad 6 Unidad 6 Unidad 6 Unidad 6
Unidad 6 Unidad 6 Unidad 6 Unidad 6 Unidad 6 Unidad 6 Unidad 6 Unidad 6 Unidad 6 Unidc
6 Unidad 6 Unidad 6 Unidad 6 Unidad 6 Unidad 6 Unidad 6 Unidad 6 Unidad 6 Unidad 6
Unidad 6 Unidad 6 Unidad 6 Unidad 6 Unidad 6 Unidad 6 Unidad 6 Unidad 6 Unidad 6 Unidc
6 Unidad 6 Unidad 6 Unidad 6 Unidad 6 Unidad 6 Unidad 6 Unidad 6 Unidad 6 Unidad 6
Unidad 6 Unidad 6 Unidad 6 Unidad 6 Unidad 6 Unidad 6 Unidad 6 Unidad 6 Unidad 6 Unidc
6 Unidad 6 Unidad 6 Unidad 6 Unidad 6 Unidad 6 Unidad 6 Unidad 6 Unidad 6 Unidad 6
Unidad 6 Unidad 6 Unidad 6 Unidad 6 Unidad 6 Unidad 6 Unidad 6 Unidad 6 Unidad 6 Unidc
6 Unidad 6 Unidad 6 Unidad 6 Unidad 6 Unidad 6 Unidad 6 Unidad 6 Unidad 6 Unidad 6
Unidad 6 Unidad 6 Unidad 6 Unidad 6 Unidad 6 Unidad 6 Unidad 6 Unidad 6 Unidad 6 Unidc
6 Unidad 6 Unidad 6 Unidad 6 Unidad 6 Unidad 6 Unidad 6 Unidad 6 Unidad 6 Unidad 6
Unidad 6 Unidad 6 Unidad 6 Unidad 6 Unidad 6 Unidad 6 Unidad 6 Unidad 6 Unidad 6 Unidc
6 Unidad 6 Unidad 6 Unidad 6 Unidad 6 Unidad 6 Unidad 6 Unidad 6 Unidad 6 Unidad 6
Unidad 6 Unidad 6 Unidad 6 Unidad 6 Unidad 6 Unidad 6 Unidad 6 Unidad 6 Unidad 6 Unidc
6 Unidad 6 Unidad 6 Unidad 6 Unidad 6 Unidad 6 Unidad 6 Unidad 6 Unidad 6 Unidad 6
Unidad 6 Unidad 6 Unidad 6 Unidad 6 Unidad 6 Unidad 6 Unidad 6 Unidad 6 Unidad 6 Unidc
6 Unidad 6 Unidad 6 Unidad 6 Unidad 6 Unidad 6 Unidad 6 Unidad 6 Unidad 6 Unidad 6
Unidad 6 Unidad 6 Unidad 6 Unidad 6 Unidad 6 Unidad 6 Unidad 6 Unidad 6 Unidad 6 Unidc

©2002 Santillana USA

7 Unidad 7 Unidad 7 Unidad 7 Unidad 7 Unidad 7 Unidad 7 Unidad 7 Unidad 7 Unidad 7
nidad 7 Unidad 7 Unidad 7 Unidad 7 Unidad 7 Unidad 7 Unidad 7 Unidad 7 Unidad 7 Unidc
7 Unidad 7 Unidad 7 Unidad 7 Unidad 7 Unidad 7 Unidad 7 Unidad 7 Unidad 7 Unidad 7
nidad 7 Unidad 7 Unidad 7 Unidad 7 Unidad 7 Unidad 7 Unidad 7 Unidad 7 Unidad 7 Unidc
7 Unidad 7 Unidad 7 Unidad 7 Unidad 7 Unidad 7 Unidad 7 Unidad 7 Unidad 7 Unidad 7
nidad 7 Unidad 7 Unidad 7 Unidad 7 Unidad 7 Unidad 7 Unidad 7 Unidad 7 Unidad 7 Unidc
7 Unidad 7 Unidad 7 Unidad 7 Unidad 7 Unidad 7 Unidad 7 Unidad 7 Unidad 7 Unidad 7
nidad 7 Unidad 7 Unidad 7 Unidad 7 Unidad 7 Unidad 7 Unidad 7 Unidad 7 Unidad 7 Unidc
7 Unidad 7 Unidad 7 Unidad 7 Unidad 7 Unidad 7 Unidad 7 Unidad 7 Unidad 7 Unidad 7
nidad 7 Unidad 7 Unidad 7 Unidad 7 Unidad 7 Unidad 7 Unidad 7 Unidad 7 Unidad 7 Unidc
7 Unidad 7 Unidad 7 Unidad 7 Unidad 7 Unidad 7 Unidad 7 Unidad 7 Unidad 7 Unidad 7
nidad 7 Unidad 7 Unidad 7 Unidad 7 Unidad 7 Unidad 7 Unidad 7 Unidad 7 Unidad 7 Unidc
7 Unidad 7 Unidad 7 Unidad 7 Unidad 7 Unidad 7 Unidad 7 Unidad 7 Unidad 7 Unidad 7
nidad 7 Unidad 7 Unidad 7 Unidad 7 Unidad 7 Unidad 7 Unidad 7 Unidad 7 Unidad 7 Unidc
7 Unidad 7 Unidad 7 Unidad 7 Unidad 7 Unidad 7 Unidad 7 Unidad 7 Unidad 7 Unidad 7
nidad 7 Unidad 7 Unidad 7 Unidad 7 Unidad 7 Unidad 7 Unidad 7 Unidad 7 Unidad 7 Unidc
7 Unidad 7 Unidad 7 Unidad 7 Unidad 7 Unidad 7 Unidad 7 Unidad 7 Unidad 7 Unidad 7
nidad 7 Unidad 7 Unidad 7 Unidad 7 Unidad 7 Unidad 7 Unidad 7 Unidad 7 Unidad 7 Unidc
7 Unidad 7 Unidad 7 Unidad 7 Unidad 7 Unidad 7 Unidad 7 Unidad 7 Unidad 7 Unidad 7
nidad 7 Unidad 7 Unidad 7 Unidad 7 Unidad 7 Unidad 7 Unidad 7 Unidad 7 Unidad 7 Unidc
7 Unidad 7 Unidad 7 Unidad 7 Unidad 7 Unidad 7 Unidad 7 Unidad 7 Unidad 7 Unidad 7
nidad 7 Unidad 7 Unidad 7 Unidad 7 Unidad 7 Unidad 7 Unidad 7 Unidad 7 Unidad 7 Unidc
7 Unidad 7 Unidad 7 Unidad 7 Unidad 7 Unidad 7 Unidad 7 Unidad 7 Unidad 7 Unidad 7

©2002 Santillana USA

8 Unidad 8 Unidad 8 Unidad 8 Unidad 8 Unidad 8 Unidad 8 Unidad 8 Unidad 8 Unidad 8
nidad 8 Unidad 8 Unidad 8 Unidad 8 Unidad 8 Unidad 8 Unidad 8 Unidad 8 Unidad 8 Unida
8 Unidad 8 Unidad 8 Unidad 8 Unidad 8 Unidad 8 Unidad 8 Unidad 8 Unidad 8 Unidad 8
nidad 8 Unidad 8 Unidad 8 Unidad 8 Unidad 8 Unidad 8 Unidad 8 Unidad 8 Unidad 8 Unida
8 Unidad 8 Unidad 8 Unidad 8 Unidad 8 Unidad 8 Unidad 8 Unidad 8 Unidad 8 Unidad 8
nidad 8 Unidad 8 Unidad 8 Unidad 8 Unidad 8 Unidad 8 Unidad 8 Unidad 8 Unidad 8 Unida
8 Unidad 8 Unidad 8 Unidad 8 Unidad 8 Unidad 8 Unidad 8 Unidad 8 Unidad 8 Unidad 8
nidad 8 Unidad 8 Unidad 8 Unidad 8 Unidad 8 Unidad 8 Unidad 8 Unidad 8 Unidad 8 Unida
8 Unidad 8 Unidad 8 Unidad 8 Unidad 8 Unidad 8 Unidad 8 Unidad 8 Unidad 8 Unidad 8
nidad 8 Unidad 8 Unidad 8 Unidad 8 Unidad 8 Unidad 8 Unidad 8 Unidad 8 Unidad 8 Unida
8 Unidad 8 Unidad 8 Unidad 8 Unidad 8 Unidad 8 Unidad 8 Unidad 8 Unidad 8 Unidad 8
nidad 8 Unidad 8 Unidad 8 Unidad 8 Unidad 8 Unidad 8 Unidad 8 Unidad 8 Unidad 8 Unida
8 Unidad 8 Unidad 8 Unidad 8 Unidad 8 Unidad 8 Unidad 8 Unidad 8 Unidad 8 Unidad 8
nidad 8 Unidad 8 Unidad 8 Unidad 8 Unidad 8 Unidad 8 Unidad 8 Unidad 8 Unidad 8 Unida
8 Unidad 8 Unidad 8 Unidad 8 Unidad 8 Unidad 8 Unidad 8 Unidad 8 Unidad 8 Unidad 8
nidad 8 Unidad 8 Unidad 8 Unidad 8 Unidad 8 Unidad 8 Unidad 8 Unidad 8 Unidad 8 Unida
8 Unidad 8 Unidad 8 Unidad 8 Unidad 8 Unidad 8 Unidad 8 Unidad 8 Unidad 8 Unidad 8
nidad 8 Unidad 8 Unidad 8 Unidad 8 Unidad 8 Unidad 8 Unidad 8 Unidad 8 Unidad 8 Unida
8 Unidad 8 Unidad 8 Unidad 8 Unidad 8 Unidad 8 Unidad 8 Unidad 8 Unidad 8 Unidad 8
nidad 8 Unidad 8 Unidad 8 Unidad 8 Unidad 8 Unidad 8 Unidad 8 Unidad 8 Unidad 8 Unida
8 Unidad 8 Unidad 8 Unidad 8 Unidad 8 Unidad 8 Unidad 8 Unidad 8 Unidad 8 Unidad 8
nidad 8 Unidad 8 Unidad 8 Unidad 8 Unidad 8 Unidad 8 Unidad 8 Unidad 8 Unidad 8 Unida
8 Unidad 8 Unidad 8 Unidad 8 Unidad 8 Unidad 8 Unidad 8 Unidad 8 Unidad 8 Unidad 8
nidad 8 Unidad 8 Unidad 8 Unidad 8 Unidad 8 Unidad 8 Unidad 8 Unidad 8 Unidad 8 Unida

©2002 Santillana USA

Unidad 9 Unidad 9 Unidad 9 Unidad 9 Unidad 9 Unidad 9 Unidad 9 Unidad 9 Unidad 9 Unida
9 Unidad 9 Unidad 9 Unidad 9 Unidad 9 Unidad 9 Unidad 9 Unidad 9 Unidad 9 Unidad 9
Unidad 9 Unidad 9 Unidad 9 Unidad 9 Unidad 9 Unidad 9 Unidad 9 Unidad 9 Unidad 9 Unida
9 Unidad 9 Unidad 9 Unidad 9 Unidad 9 Unidad 9 Unidad 9 Unidad 9 Unidad 9 Unidad 9
Unidad 9 Unidad 9 Unidad 9 Unidad 9 Unidad 9 Unidad 9 Unidad 9 Unidad 9 Unidad 9 Unida
9 Unidad 9 Unidad 9 Unidad 9 Unidad 9 Unidad 9 Unidad 9 Unidad 9 Unidad 9 Unidad 9
Unidad 9 Unidad 9 Unidad 9 Unidad 9 Unidad 9 Unidad 9 Unidad 9 Unidad 9 Unidad 9 Unida
9 Unidad 9 Unidad 9 Unidad 9 Unidad 9 Unidad 9 Unidad 9 Unidad 9 Unidad 9 Unidad 9
Unidad 9 Unidad 9 Unidad 9 Unidad 9 Unidad 9 Unidad 9 Unidad 9 Unidad 9 Unidad 9 Unida
9 Unidad 9 Unidad 9 Unidad 9 Unidad 9 Unidad 9 Unidad 9 Unidad 9 Unidad 9 Unidad 9
Unidad 9 Unidad 9 Unidad 9 Unidad 9 Unidad 9 Unidad 9 Unidad 9 Unidad 9 Unidad 9 Unida
9 Unidad 9 Unidad 9 Unidad 9 Unidad 9 Unidad 9 Unidad 9 Unidad 9 Unidad 9 Unidad 9
Unidad 9 Unidad 9 Unidad 9 Unidad 9 Unidad 9 Unidad 9 Unidad 9 Unidad 9 Unidad 9 Unida
9 Unidad 9 Unidad 9 Unidad 9 Unidad 9 Unidad 9 Unidad 9 Unidad 9 Unidad 9 Unidad 9
Unidad 9 Unidad 9 Unidad 9 Unidad 9 Unidad 9 Unidad 9 Unidad 9 Unidad 9 Unidad 9 Unida
9 Unidad 9 Unidad 9 Unidad 9 Unidad 9 Unidad 9 Unidad 9 Unidad 9 Unidad 9 Unidad 9
Unidad 9 Unidad 9 Unidad 9 Unidad 9 Unidad 9 Unidad 9 Unidad 9 Unidad 9 Unidad 9 Unida
9 Unidad 9 Unidad 9 Unidad 9 Unidad 9 Unidad 9 Unidad 9 Unidad 9 Unidad 9 Unidad 9
Unidad 9 Unidad 9 Unidad 9 Unidad 9 Unidad 9 Unidad 9 Unidad 9 Unidad 9 Unidad 9 Unida
9 Unidad 9 Unidad 9 Unidad 9 Unidad 9 Unidad 9 Unidad 9 Unidad 9 Unidad 9 Unidad 9
Unidad 9 Unidad 9 Unidad 9 Unidad 9 Unidad 9 Unidad 9 Unidad 9 Unidad 9 Unidad 9 Unida
9 Unidad 9 Unidad 9 Unidad 9 Unidad 9 Unidad 9 Unidad 9 Unidad 9 Unidad 9 Unidad 9
Unidad 9 Unidad 9 Unidad 9 Unidad 9 Unidad 9 Unidad 9 Unidad 9 Unidad 9 Unidad 9 Unida